PARLA, PALAVRA

ROGÉRIO TRENTINI

PARLA, PALAVRA

[ILUSTRAÇÕES de GUSTAVO DUARTE]

Grafia atualizada segundo o Acordo Ortográfico da Língua Portuguesa de 1990, que entrou em vigor no Brasil em 2009.

Projeto gráfico
GUSTAVO DUARTE

Revisão
ARLETE SOUSA
NINA RIZZO

Tratamento de imagem
AMÉRICO FREIRIA

Dados Internacionais de Catalogação na Publicação (CIP)
(Câmara Brasileira do Livro, SP, Brasil)

Trentini, Rogério
Parla, palavra / Rogério Trentini ; ilustrações de Gustavo Duarte. — 1ª ed. — São Paulo: Companhia das Letrinhas, 2018.

ISBN 978-85-7406-823-7

1. Ficção — Literatura infantojuvenil. I. Duarte, Gustavo. II. Título

18-12643 CDD-028.5

Índices para catálogo sistemático:
1. Ficção : Literatura infantil 028.5
2. Ficção : Literatura infantojuvenil 028.5

2018

EDITORA SCHWARCZ S.A.
Rua Bandeira Paulista, 702, cj. 32
04532-002 — São Paulo — SP — Brasil
(11) 3707-3500
www.companhiadasletrinhas.com.br
www.blogdaletrinhas.com.br
/companhiadasletrinhas
companhiadasletrinhas

Primeiras palavras

Primeiro proponho
parlar pequenezes,
piadas, pitacos,
poemas, por vezes.

Depois, como um sonho,
dar voz à palavra,
pois ela, se quieta,
só se escalavra.

Por fim, pressuponho
que ao ler estas linhas
você notará:
são suas, não minhas.

Sumário

Com todas as letras

Ontem escrevi com o
e hoje escrevo com h.
Se passar esse toró,
amanhã será com a.

Se viajar carrega um j,
congestionamento, um g.
Para calçar uma bota
uso cê-cedilha e b.
Se não quero ouvir lorota
logo desligo a TV.

Cozer escrevo com z
quando eu quiser cozinhar.
Mas é com s — coser —
se tiver de costurar.

Com h escrevo história,
com f falo falsário.
Com v eu canto vitória,
mas também não sou otário:
se me some da memória
procuro no dicionário.

Caqui começa com c,
que se liga bem no aqui.
Dalí começou com d,
logo depois foi ali.

Xícara me toma um x,
com x eu jogo xadrez.
Na noite passada eu fiz
algo que você já fez.
(Xi! Acordei avexado.
Xi! Choveu aqui do lado.)

Com c e h tomo chá,
mas também tomo uma chuva.
Com l eu acho um lugar,
ele cai como uma luva.

Esta língua portuguesa
nem é assim tão difícil:
se não tenho bem certeza
como escrever dentifrício
escrevo pasta de dente,
que é igual — mas diferente.

Escrever certo é com c,
mas se aprende com a prática.
Esta começa com p
e rima — olha! — com gramática.

Palavras encorpadas

Quem é que me diz:
Já notou que há ar dentro do nariz?
Que um corte no cabelo deixa a gente mais belo?
Que quando se fecha a boca, lá dentro ela fica oca?
Que o som dentro da barriga é o ar querendo briga?
Que dentro do coração existe cor e existe ação?
Que é no fim do queixo que está o nosso eixo?
Que o olho, ao ser fechado, deixa um O de cada lado?
Que é sempre com dois braços que se dá um só abraço?
Que só temos um umbigo? Que nem o melhor amigo
(mesmo que ele seja um beagle).
E por que o bumbum tem duas partes iguais?
Será coincidência demais?

Palavras erradas

Errar não é certo, mas é humano.
Se erra, o esperto muda de plano.

Um erro na prova, falado ou escrito,
não merece sova nem bronca nem grito.

Vê se relaxa com o que fez.
Passe a borracha e tente outra vez.

Às vezes a gente faz tudo errado.
Bola pra frente, nunca pro lado.

Até o cientista erra adoidado:
errar é uma pista, nunca um pecado.

Aquele que ri do erro alheio
não sabe que ali está um *espeio*.

O erro não é feio; ele é do viver.
Você aqui veio só para aprender.

No mundo ninguém faz tudo acertado.
Se fizesse, porém, dava tudo errado.

É certo que o acerto do erro depende,
então, fique esperto: errando se aprende.

O gigante do avô

Na casa do meu avô,
quando eu era ainda infante,
havia um quarto enorme
onde morava um gigante.

Era um lugar secreto
que chegava a meter medo,
mas não se falava ao neto
qual era o seu segredo.

Vovô apenas me dizia,
com todo aquele afeto,
que ali eu só entraria
se não fosse analfabeto.

Finalmente aos sete anos
vim a ler e escrever,
e já fui fazendo planos
para o gigante conhecer.

Contei logo ao meu avô
que eu já lia português,
então ele concordou
que chegara a minha vez.

Jogou-me na mão a chave
da porta do seu palácio.
Disse-me: — Essa é sua nave
para voar pelo espaço.

Ao girar a maçaneta,
confesso, me deu receio.
Fiz até uma careta
esperando um bicho feio.

Descobri que o gigante,
contudo, não existia.
O que havia eram estantes
cheias de sabedoria.

Ideia eu não fazia:
como o quarto era profundo!
Cada livro que eu lia
conhecia mais o mundo.

Foi assim que ainda infante,
bem antes de ser careca,
descobri que o tal gigante
se chamava biblioteca!

Em poucas palavras

Entre a lua e a luz
a distância do alfabeto
é o que me seduz.

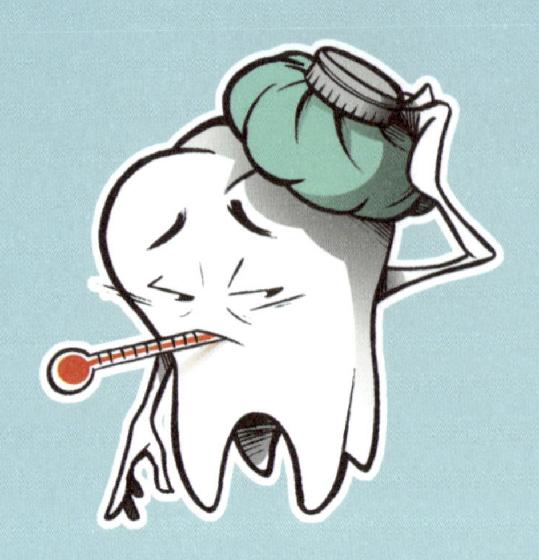

No meio do dente
letrinha desavisada
o deixa doente.

Numa tarde à toa,
tire o c da sua casa.
Vai que ela voa.

Veja só, meu povo:
um ovo, quando voltando,
é de novo um ovo.

Como é bonita
a palavra indescritível
quando é descrita.

Cuidado!
Se um coco veste um chapéu
dá tudo errado.

Lusco-fusco

LUA LUA
LUA LUA
LUA LUA
LUA LUA
LUA LUA
LUA LUA
LUA LUA
LUA LUA
LUA LUA

l a g o

LUA LUA
LUA LUA
LUA LUA
LUA LUA
LUA LUA
LUA LUA
LUA LUA
LUA LUA
LUA LUA

Libélula

Trocando palavras

Tirei o f do frio:
pulei no rio.
Pus um m no ar:
pulei no mar.

Tomei o ch da chuva:
comi uma uva.
Botei um p no ovo:
fiquei com o povo.

Pondo um sa no pato,
calcei o sapato.
Alçando um c na alça,
vesti a calça.

Pus um ba no rato:
maior barato.
Deste tirei o bar:
sobrou o ato.

Comi um c do coco,
que ficou oco.
Soltei o p do pum:
ficou só um.

Foi tão forte o vento
que até o c saiu do céu
e com ele seu acento:
sobrou só *eu*.

Palavras de ordem

Parla, palavra,
parlapatona:
Sou eu quem manda
ou és tu, malandra,
a minha dona?

Fala, palavra,
tão falastrona:
Quem é o chefe,
a mão que te escreve
ou tu, prima-dona?

Canta, palavra,
dá teu recado:
Quando te uso
(estou confuso)
eu que sou usado?

Cala, palavra,
ouve meu clamor:
Não cries problema,
se estás no poema
teu dono é o leitor.

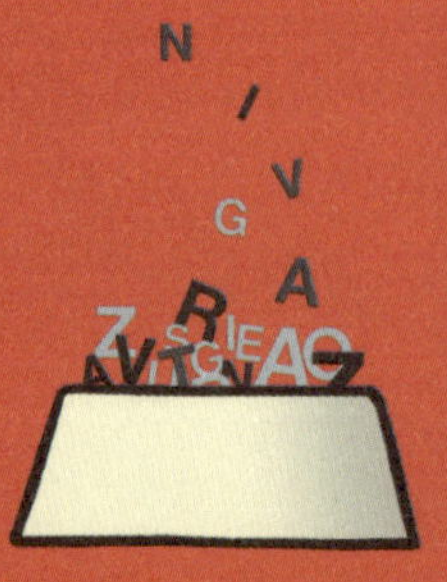

PALAVRA
G

3

Palavras matemáticas

O um, coitado,
anda sozinho,
ainda que parado...
Mas eis que surge
outro um ao lado
— um vizinho —,
e assim são dois.

Depois,
o encanto
é natural.
E o dois,
portanto,
vira um casal.
E se é o caso
que se casem
por força
do acaso
(ou do destino)
e nasça
uma moça
ou um menino,
vejam só
vocês:
o que era
tão só
o um
tornou-se
o três

Pavralas embaradalhas

Certo dia acordei ao *toncrário*
e vesti meu pijama no armário.
Eu fui pra *esloca* assim
e quando dei por mim
toda a turma me achava hilário.

Eis que então vim voando pra casa,
parecia que nem tinha asa.
Ao abrir o *torpão*,
avistei meu irmão:
ele era *astrotauna* da Nasa.

Na garagem *hafia* um *voguete*
que lembrava um *emorne* croquete.
Na nave eu entrei,
no breque pisei
e saí num voo maluquete.

De repente eu *esvata* na Lua
e vi lá uma vil cacatua.
A maluca era muda
e *bestia vermuda*.
Me falou pra deixá-la na sua.

Eu troquei meu foguete sem seta
por alguma lunar bicicleta.
Saí de supetão,
peladei um tempão,
num *sedungo* voltei ao planeta.

Abri o olho, deitado na cama,
com aquele meu belo pijama.
Foi um sonho, é certo,
eu estava desperto,
não trocava *muis* letra *nenhama*.

Trovas de palavras novas

No mar mergulhei um dia,
ele estava bem molhado.
Nadei tudo que podia,
de lá saí *marmelado*.

Brisa que toca meu rosto,
ar que suaviza o verão,
será que causa desgosto
eu chamá-la de *argodão*?

A cor que ajuda a enxergar?
Esta eu já até sei de cor.
Você há de concordar:
só pode ser *vermelhor*.

Se parece que foi ontem
mas foi muito tempo atrás,
esse dia, de hoje em diante,
de *ontempão* tu chamarás.

Parecia estar tão morta
uma abelha bem aqui,
mas levantou meio torta
e saiu feito um *zumbee*.

Onde insetos água bebem
ou o filho do besouro:
essas duas coisas devem
ser chamadas *bebesouro*.

Quatro palavras para adivinhar

1.

Quando aberta, mostra-se pronta.
Se fechada, não paga a conta.

2.

Quando cortam não machuca,
mas dói muito ao se puxar.
Quem não tem, tem fresca a cuca;
quem tem bem, tem que lavar.

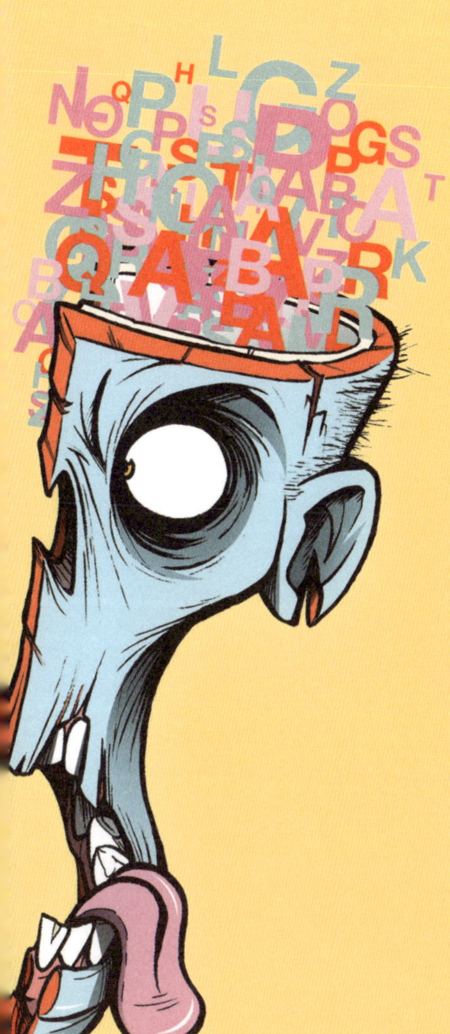

3.

Não é comida
mas me sustenta.
Se é na corrida
se movimenta.
Quando ele fede
ninguém aguenta.

4.

Não é mão, mas faz conta
(além de fazer de conta).
Não é pé, mas corre à beça
(mesmo que esteja sem pressa).
Não é cabelo, mas está na cabeça.
(É lá que a ideia começa,
é lá onde mora a memória,
nunca se esqueça!)

As respostas estão na página 43.

Ana ao contrário

Ana igual nunca se viu,
já nasceu bem diferente:
em vez de chorar, sorriu,
pra surpresa dos presentes.

Escrevia com o pé,
caminhava com a mão.
Se era não, dizia: — É...
Se era sim, mandava: — Não!

De manhã ela jantava,
à tarde era hora da ceia.
No verão ela gostava
de tomar banho de meia.

Se ganhava uma boneca
não via lá muita graça.
Preferia, a moleca,
jogar bola ali na praça.

Se acaso estava feliz
começava a chorar:
dos olhos um chafariz
respingando água do mar.

Mas se triste ela ficava
se punha a gargalhar.
Picada de mamangava
não fazia ela parar.

Adorava tomar chuva,
mas dizia — que demais! —:
— Se fosse suco de uva,
tomaria muito mais.

Acordada ela sonhava;
dormia de olho aberto.
Família ficava brava?
Ao contrário, achava certo.

De tudo o mais surpreendente,
desta história o mais legal,
é que mesmo diferente
Ana era só normal.

Isso ela descobriu
e achou muito bacana
quando no espelho viu,
ao vestir o seu pijama,
que ao contrário ela era... Ana.

Em boa companhia

No fim do caminho eu encontro um o,
no meio do fim eu descubro um i.
Se em algum momento me sinto só,
me lembro de tudo aquilo que li.

Eu acho um n no meio do mundo
e vislumbro um t no início de tudo.
Quando fico assim, meio furibundo,
escrevo um poema e as letras saúdo.

Palavras sempre me são companheiras,
quer escrevendo, quer lendo gibi,
livro, revista ou até lista de feira.

Mas faço questão de anotar aqui:
viver só com elas dá uma canseira!
Por isso contigo eu as dividi.

G
R
C
D
H
T

{ Respostas das adivinhas das páginas 34-35 }

Sobre o autor

Pouco antes de completar um ano de idade, em 1976, Rogério Trentini proferiu precocemente sua primeira palavra: *iaianagupadudadá*. Ninguém entendeu nada, embora ele tivesse a certeza de que estava sendo bem claro.

Indignado, cresceu soltando palavras a esmo sem que os outros o entendessem muito bem, até que, já adulto (para não usar a palavra "velho"), começou a escrever para crianças. E enfim suas palavras foram compreendidas — ao menos na maioria das vezes. Metade, vá lá.

Para a Companhia das Letrinhas, escreveu *As invenções de Ivo* e *As falações de Flávio*. Ele também trabalha corrigindo as palavras dos outros como revisor de textos, profissão que o tornou rico (de vocabulário). Sua palavra preferida é "lero-lero", como se pode perceber.

Sobre o ilustrador

Gustavo Duarte iniciou seu primeiros passos como desenhista um pouco depois do seu nascimento, em 1977, reforçando a ideia clássica: desenha desde que se entende por gente. Assim como toda criança, desenhou um pouco de tudo: seus pais, amigos, professoras, seus heróis do futebol, do basquete, dos quadrinhos, dos desenhos animados, do cinema, galinhas, porcos, elefantes, pássaros, alienígenas e monstros.

Mas foi só vinte anos depois, trabalhando como cartunista no *Diário de Bauru*, que esses desenhos passaram a ser a sua profissão. Desde então, desenhou para diversos jornais, revistas e editoras.

A partir de 2009, começou a trabalhar com histórias em quadrinhos como roteirista e desenhista. Além de seus próprios livros, no mercado norte-americano publica em revistas de editoras como Marvel e DC Comics. Pela Quadrinhos na Cia., lançou *Monstros!* e *Có! & Birds*.

Continua desenhando heróis, vilões, galinhas, porcos, elefantes, pássaros, alienígenas e monstros.

A marca FSC® é a garantia de que a madeira utilizada na fabricação do papel deste livro provém de florestas que foram gerenciadas de maneira ambientalmente correta, socialmente justa e economicamente viável, além de outras fontes de origem controlada.

Esta obra foi composta em Avenir e impressa pela RR Donnelley em ofsete sobre papel Alta Alvura da Suzano Papel e Celulose para a Editora Schwarcz em outubro de 2018